C000090130

Je suis amoureux d'un tigre

Paul Thiès

MiNi
SYROS

Mini Syros Romans

Paul Thiès est né en 1958 à Strasbourg.
Élevé à l'étranger (Buenos Aires, Madrid, Tokyo),
il découvre la France à l'âge de dix-sept ans…
avec surprise ! Il habite à présent Paris, adore
le soleil, les terrasses, les corridas, les vacances,
la viande grillée, les librairies, le vagabondage
au hasard des rues et le printemps et même
l'automne. Quant à ce qu'il déteste, la liste est bien
trop longue…

Du même auteur, aux éditions Syros :
Pas de whisky pour Méphisto,
coll. « Mini Syros Polar », 1990, 2007
(Sélectionné par le ministère de l'Éducation
nationale)

Couverture illustrée par Julia Wauters

ISBN : 978-2-74-850652-5

CHAPITRE 1

Je m'appelle Benjamin
et, cet après-midi, je suis
tombé amoureux d'un tigre.
J'avais pas prévu !

Sale journée à l'école ; je récolte une mauvaise note, et je flanque mon stylo à la tête d'un prof.

Le directeur me convoque dans son bureau. C'est grand, grand, comme une prison sans portes, un océan sans navires.

Il me regarde l'air mécontent.

– Encore toi, Benjamin ? Tu sais ce qui finira par arriver ?

Je sais bien... Je baisse le nez, et je compte mes pieds. Le temps que le directeur termine son discours, je deviens un vrai mille-pattes.

Plus tard, je sors de l'école en courant, en pleurant.

Il pleut.

Je rabats le capuchon de mon anorak, et je fonce jusqu'au canal Saint-Martin. Là, je monte sur le pont de la Grange-aux-Belles.

J'habite de l'autre côté, au coin du quai de Jemmapes et de la rue de la Grange-aux-Belles, au-dessus du café *La Péniche jaune*.

La porte est jaune, la façade bleue. Dans le fond, un escalier étroit, en colimaçon, grimpe jusqu'à l'appartement. Ma chambre donne sur la Seine, et je regarde souvent l'eau couler. Pas loin, il y a l'*Hôtel du Nord*, avec ses murs blancs qui virent au gris. Des touristes viennent parfois le regarder, à cause d'un film célèbre.

Je m'arrête au milieu du pont, sur les planches de bois noires, mouillées, glissantes. En bas, l'eau coule, très verte, lente, à cause des écluses. Plus loin, du côté de la place de la République, le canal disparaît brusquement, il glisse sous terre comme un caramel au fond d'une poche.

Je me perche sur la pointe des pieds, le menton posé sur la rambarde. Je contemple l'eau, des feuilles mortes, parfois une branche, une planche qui tourbillonne.

– Tu regardes quoi ?

Je me retourne, surpris. J'aperçois une fillette de mon âge. Elle porte un anorak noir, un jean bleu sombre, presque noir. On croirait un garçon, sauf que ses longs cheveux sombres, mouillés, alourdis par la pluie, tombent sur ses épaules.

Elle hoche la tête en riant :

– Tu sais, j'ai horreur de mettre un capuchon, même s'il pleut !

Elle a un drôle d'accent.

Je passe ma main sur mes cheveux trempés.

– Moi aussi !

On rit ensemble. Je la trouve jolie, jolie, comme la fée de la pluie.

J'hésite, et je lui demande :

– Tu es... chinoise ?

Elle secoue sa tignasse d'ébène, hausse les épaules.

– Non ! Japonaise. Je m'appelle Sonoko Watanabe. Mes parents habitent Paris, maintenant.

Elle pousse un soupir :

– Mais, à l'école, ils m'appellent tous la Chinoise... Ça m'énerve ! Je n'ai pas d'amis.

Je lui confie :

– Moi c'est pareil ! Je n'ai pas d'amis et on m'appelle le Chinois alors que je suis vietnamien. Mon nom, c'est Benjamin.

Je montre le quai de Jemmapes :

– J'habite là, chez les gens qui tiennent le café.

Il pleut toujours ; le pont, les deux quais, les rues semblent vides, froids. On est seuls. Elle me ressemble un peu, et j'aime lui parler, même si je la connais à peine.

Le soir tombe. La nuit traîne sur Paris, comme un grand chat noir. Sonoko s'approche de moi, me prend la main :

– Dis... Tu sais garder un secret ?

– Bien sûr !

Elle regarde autour de nous, se penche vers moi, et chuchote mystérieusement :

– Voilà : je suis... je suis un tigre...

J'ouvre des yeux ronds. Elle éclate de rire ; ses prunelles sombres scintillent vraiment comme celles d'un tigre. Enfin, je suppose. Le seul tigre que je connaisse, c'est Catimini, le matou du café.

Je bredouille :

– Un... un ti-i-igre ?

Elle me lorgne d'un drôle d'air :

– C'est ça ! Chaque nuit, je me promène sur les toits. Je cherche un petit garçon chinois pour le croquer !

Elle dit ça sur un ton ! En plus, la pluie coule dans mon cou, comme la vinaigrette sur un artichaut. Je frissonne, et marmonne prudemment :

– Bon... ben... Souviens-toi que je suis pas vraiment chinois !

– Heureusement...

Elle lâche ma main, recule, s'enfonce dans l'obscurité. Cheveux noirs, anorak noir, elle glisse dans la nuit...

Je crie :

– Hé ! Hé, la tigre ! On se reverra ? Tu habites où ?

J'entends son rire, à travers la pluie. Elle disparaît.

CHAPITRE 2

En rentrant au café,
je me secoue comme un chien
mouillé. Naturellement,
Catimini, qui rôde sous
les tables, reçoit quelques
gouttes. Il pousse
un miaulement indigné.
S'il était tigre, j'aurais des ennuis !

Virginie est embusquée derrière la caisse. Ses lunettes brillent pendant qu'elle surveille Catimini, ses bagues brillent pendant qu'elle pianote les additions. Elle clame :

– Benjamin-in-in ! Tes pieds !

Ah oui, les pieds. Je soupire, saute sur le paillasson. Et je frotte, frotte, consciencieusement.

Au comptoir, Roméo essuie les verres. Il rigole, comme toujours. Il a des cheveux gris, et un cigare sur l'oreille.

Mes vrais parents sont morts en Asie, quand j'étais bébé. Après des années de foyer, Roméo et Virginie, qui n'ont pas d'enfant, m'ont pris avec eux. Je les aide au café. Ils attendent les papiers qui les autoriseront à me garder.

Parfois on s'entend bien, parfois non. Mais je suis obligé d'être parfait : poli avec eux, gentil à l'école, mignon avec les copains même s'ils m'appellent le Chinois, et tout et tout. Sinon les gens du foyer diront que je suis malheureux, et ils me reprendront. Ça me rend nerveux et j'ai des ennuis, des bagarres, des mauvaises notes...

Roméo me fait signe :

– Cesse de gaspiller tes pieds, bonhomme ! Viens m'aider.

Et comment ! M'occuper du café, des clients, j'adore ça ! Parfois, on part à la campagne, en province : Roméo et Virginie possèdent une maison grise, au bord de la Loire. Mais moi, je préfère *La Péniche jaune*, le comptoir brillant, les bouteilles renversées, la machine à café, les gens du quartier, qui entrent et sortent en pestant contre la pluie, ou le soleil, ou les impôts.

Je me faufile derrière le comptoir. Chaque soir, Virginie l'astique comme un miroir. Le matin, avant de partir pour l'école, je me regarde dedans, je fais des grimaces, les plus horribles possible !

De là, si je me perche sur la pointe des pieds, et s'il fait beau, et si les rideaux sont tirés, j'aperçois le canal, parfois une péniche.

Mais ce soir, pas question ; il pleut de plus belle, et les clients ne me laissent pas une minute. Ils me connaissent tous, maintenant :

– Benjamin ! Un café noir.

– Benjamin, un p'tit blanc !

– Benjamin, une bière rousse !

Je tire la langue, galope entre les tables, jongle avec les petites cuillères, le couteau à pain, les chiffons, les verres à cognac, les œufs durs et le paquet de beurre. Je marche sur la queue de Catimini et lui renverse un verre d'eau sur la tête, le pauvre. Il doit regretter de ne pas être tigre !

Au bout d'un moment, les clients repartent ; c'est l'heure du dîner. On s'installe tous les trois dans la petite cuisine. Il y a de la daube, et de la tarte aux framboises !

Je raconte à Roméo et Virginie ma rencontre avec Sonoko.

Ils se consultent du regard. Roméo déclare, définitif :

– Je ne la connais pas. Ils sont nouveaux dans le quartier, tes Japonais.

Virginie suggère, romantique :

– Tu devrais la revoir, Benjamin...

Roméo conclut, railleur :

– Et te déguiser en lion !

CHAPITRE 3

On se retrouve une semaine plus tard, dans le petit jardin du quai de Valmy. Je suis penché au-dessus de la pompe quand je la vois arriver.

Aujourd'hui, il fait doux. Elle porte un T-shirt noir, et ses cheveux flottent au vent.

Elle sourit en m'apercevant :

– C'est toi, Benjamin ? Quelle chance !

Je répète d'un ton convaincu :

– Oui, quelle chance !

En réalité, je rôde autour du pont depuis des jours. Je fonce vers le canal Saint-Martin dès que j'ai fini l'école, et je cherche des tigres jusque sous les pavés.

Je finis de boire et demande :

– Tu as du temps ? On se promène ?

Elle accepte. On file en rigolant.

Rue du Faubourg-du-Temple, on partage nos sous : elle achète une gaufre, et moi un épi de maïs. La bouche pleine, on se retrouve place de la République. Je lui demande :

– Dis... Raconte-moi une histoire de tigre...

Elle me regarde. Ses yeux noirs sont profonds, mystérieux...

– Tu ne le répéteras à personne ?

Je flanque le trognon de l'épi dans une poubelle et je jure :

– Jamais ! Jamais !

Elle chuchote :

– Alors, voilà... L'autre nuit, j'étais un tigre. Pour m'amuser, j'ai escaladé le toit de la gare de l'Est. Je regardais les trains filer vers la Pologne, la Russie... J'ai commencé à gronder si fort que des contrôleurs, et des policiers en bleu, et des pompiers en rouge sont arrivés avec des mitraillettes et des tuyaux d'arrosage ! Alors, d'un bond immense, j'ai sauté sur le toit de la gare du Nord ! Et ensuite jusqu'à Saint-Lazare, et Montparnasse, et Austerlitz, et la gare de Lyon !! Et, partout, les conducteurs de locomotives avaient si peur que les trains déraillaient, et que les voyageurs devaient continuer à pied, avec leurs bagages sur le dos !

J'éclate de rire. Ensuite, je prends sa main et affirme gravement :

– C'est la plus jolie histoire que j'aie jamais entendue !

Pendant qu'elle raconte, on remonte le canal, du côté du quai de Valmy. Tout d'un coup, Sonoko s'arrête :

– Voilà le magasin de mes parents.

Une boutique d'antiquaire. Je lis l'enseigne : *La Lanterne d'Asakusa.*

Sonoko me pousse :

– Regarde !

On colle nos nez à la vitrine. C'est plein de choses étranges, lointaines : des statuettes de bois, des coffrets de laque rouges et noirs, des sabres de samouraï, des boîtes à thé, un coq de cuivre jaune, des estampes où sont dessinés des hérons, des volcans, des femmes aux coiffures lourdes et compliquées, qui portent des kimonos à fleurs.

Sonoko me pousse encore :

– Viens, on entre.

Dedans, c'est sombre, encombré, mystérieux. Sonoko m'explique à voix basse :

– Mes parents adorent l'Europe, alors ils ont acheté ce magasin à Paris. Moi, j'avais déjà appris le français au Japon.

La boutique est petite. Sonoko et moi nous faufilons entre des paravents ornés de grues, de pagodes et de montagnes, de hauts vases de porcelaine, des tables laquées, brillantes, où sont disposés des canards de bois peint, des lanternes jaunes et rouges ornées de caractères incompréhensibles, des jeux bizarres qui ne ressemblent à rien. Des ombrelles de papier huilé, des baudruches en forme de carpes, des clochettes de métal vert pendent du plafond. Dans des vitrines, de minuscules figurines d'ivoire représentent des éléphants, des singes, des chiens...

Je chuchote :

– Pas de tigre ?

Sonoko rit doucement :

– Ça s'appelle des « netsukés ». Tu veux des tigres ? Viens...

Au fond du magasin, je découvre un mur où sont accrochées vingt ou trente estampes. Sonoko annonce fièrement :

– Voilà !

Chaque estampe représente un tigre noir, dessiné à l'encre de Chine. Mais quels animaux bizarres ! Tordus, tourmentés, contrefaits, ils ressemblent à des lions, des dragons, des démons ou des serpents de mer. Je les trouve fascinants, et un peu effrayants.

Sonoko m'explique :

– C'est Hokusaï, le plus grand peintre japonais, qui les a dessinés. Au musée de Tokyo, il y en a 219 en tout ! Et c'est en les regardant que je deviens tigre, et que j'imagine mes histoires...

Les parents de Sonoko sortent d'un bureau, derrière le magasin. Elle me présente :

– Benjamin, mon premier ami à Paris. Et il n'est pas chinois !

Monsieur Watanabe n'a presque pas d'accent :

– Tu es le fameux Benjamin ? Sonoko parle beaucoup de toi.

Madame Watanabe est habillée de noir, comme sa fille. Elle porte au cou un collier de perles noires. Elle prononce une phrase en japonais. Sonoko bat des mains et s'exclame :

– Oui ! Oui !

Elle sort d'un tiroir une étrange statuette : une sorte de démon accroupi, rouge et brun, avec un visage large et grimaçant... Mais il n'a pas d'yeux...

Sonoko me le tend :

– Puisque tu es mon premier ami, je te le donne. C'est un darouma !

Son père m'explique :

– Un darouma est un démon protecteur. Tu dois peindre son premier œil, faire un vœu, et le garder chez toi. Plus tard, si le vœu se réalise, tu peindras le deuxième œil pour le remercier...

Il me tend un pinceau. Je le prends,

l'approche de la statuette... Pendant une seconde, je me demande si Sonoko n'est pas une fée d'Asie, et ses parents des sorciers...

Je vois le café, avec Roméo et Virginie. C'est ça mon vœu. Rester avec eux !

CHAPITRE 4

Je range le darouma borgne
dans ma chambre, au milieu
de mes jouets, de mes livres.
Le premier jour, Catimini
le renifle avec méfiance. Puis,
ils deviennent bons copains.

Je n'explique pas à Roméo et Virginie ce que signifie l'œil manquant. Je dis simplement qu'il s'agit d'un cadeau de mon amie. Ils sont contents : avant Sonoko, j'étais triste, sans aucun camarade.

Je me promène presque tous les jours avec Sonoko.

On se balade dans le quartier, je lui montre mes endroits favoris, les squares, les manèges, une grande boutique de jouets, avec des billards, des châteaux de cartes, des kilomètres de train électrique, du côté de la Bastille.

Elle me raconte ses histoires de tigre, le jour où elle a escaladé la tour Eiffel et mangé le président de la République, la fois où, encore au Japon, elle s'est battue contre un dragon dans le cratère d'un volcan. Moi, je lui parle du café, des clients.

Plus je la vois, mieux ça marche en classe. Je me dispute moins, le directeur m'oublie.

Le soir, après nos promenades, je cours

vers le café. Je l'aime ; il brille, jaune et chaud, comme un petit soleil. Dans ma chambre, avant de m'endormir, je me tords le cou pour repérer *La Lanterne d'Asakusa*, et peut-être la chambre de Sonoko, au premier étage.

Parfois, Sonoko me demande :

– Dis... Tu ne m'invites pas chez toi ?

Moi aussi, j'ai envie qu'elle vienne. Mais d'abord, je dois devenir lion.

Pourquoi pas ? Elle est bien tigre !

Quand je suis seul, je me creuse la tête pour renifler comme un lion, ronfler, rugir comme lui...

Roméo et Virginie prétendent en riant que chaque jour, je sens davantage le sable, la jungle, la savane...

Et un jour, ça marche !

Ça arrive d'un coup, sur la place de la République.

Il fait beau, et je m'installe devant le grand lion, en bas de la statue. Je ne bouge pas, accroupi sur le trottoir, le menton entre mes mains.

Il y a un manège, un stand d'autos tamponneuses, une roue de loterie, des centaines de gens qui entrent et sortent du métro, des brasseries, des grands magasins. Parfois, des garçons de l'école passent et me crient :

– Hé ! Le Chinois !

Je ne fais pas attention à eux. Je ne regarde que l'animal statufié. Et petit à petit... je deviens lion...

J'attrape des oreilles rondes, une crinière qui claque au vent, de grosses pattes, et d'énormes rugissements au fond de ma gorge.

Je me lève brusquement, fonce jusqu'au quai de Jemmapes et braille en claquant la porte du café :

– Rrrrrraaoorr !!! Ça y est ! J'suis un lion !

Catimini se nettoie les moustaches entre deux bouteilles d'apéritif. Je lui hurle sous le museau :

– Je suis un liooooon !!

Il lâche un miaulement dégoûté et s'enfuit à toutes pattes. J'suis vraiment le roi des animaux ! Graôôôrr !

Roméo et Virginie me regardent, interloqués, mais je cavale déjà dans la rue : c'est mercredi, j'ai rendez-vous avec Sonoko.

Je galope à sa rencontre.

Elle porte un bandeau noir sur ses cheveux, une blouse de soie noire. Je ne la laisse pas ouvrir la bouche :

– Ça y est ! Je suis un lion !

Elle m'examine d'un œil soupçonneux :

– Oui ? Alors, raconte-moi une histoire de lion...

Je l'entraîne vers le canal.

– Viens voir...

Tous les deux, on se penche sur l'eau. On rapproche nos têtes, et je commence :

– L'autre matin, j'étais un lion, et j'ai décidé de prendre des vacances. En péniche ! D'un coup, j'ai eu soif, j'ai commencé à boire, tellement boire que j'ai avalé toute la Seine, et que la péniche s'est retrouvée sur un tas de cailloux. Les éclusiers s'arrachaient les cheveux de désespoir mais ils n'osaient rien me dire, puisque j'étais un lion !

Elle rit de bon cœur.

– Ensuite, tu as fait quoi ?

– Je suis redevenu Benjamin, et j'ai acheté trois billets d'avion : Londres pour boire la Tamise, Vienne pour gober le Danube, et Moscou pour laper la Volga !

Sonoko rit, rit ! Je me sens heureux. Je propose :

– Maintenant, je t'invite chez moi !

Au café, je la présente à Roméo et Virginie.

Lui rigole, on dirait qu'il va lui offrir un cigare. Virginie pianote une polka sur la caisse enregistreuse.

Je montre le bar à Sonoko, la façon de préparer un express, ou un crème, de couper la mousse de la bière avec une spatule de bois, et le saucisson aussi fin que possible.

On se regarde ensemble dans le miroir, au fond du café.

On se ressemble, avec nos yeux fendus, nos cheveux noirs, les siens longs et soyeux, les miens en frange, coupés au bol. Ça me fait plaisir.

Ensuite, on escalade l'escalier, jusqu'à ma chambre. Sonoko se penche à la fenêtre, ravie, regarde la Seine :

– On se croirait en bateau ! Et on aperçoit le quai de Valmy, la *Lanterne*, ma fenêtre.

On s'assoit sur mon lit. Et j'avoue :

– J'ai un cadeau ! Je l'ai préparé pour toi.

Je lui offre ma collection de sucres, volés à Virginie ou mendiés aux clients. Plus de cent. Des fleurs, des oiseaux exotiques, des clowns, des drapeaux, des navires, des locomotives... Je les garde depuis que j'habite chez Roméo et Virginie.

Sonoko aime surtout le toucan, l'ara, et la caravelle de Christophe Colomb.

J'ai l'impression que, du haut de son étagère, le darouma m'adresse un clin d'œil.

Le samedi suivant, les papiers arrivent enfin. Je peux rester à *La Péniche jaune*, pour toujours !

Roméo et Virginie s'embrassent, m'embrassent, ça dure un temps fou. Ce maudit Catimini en profite pour vider un pot de rillettes. Je grimpe dans ma chambre et je dessine un œil de travers au pauvre darouma ! Ensuite, je fonce rejoindre mon amie.

Sonoko m'attend sur le pont.

Je lui prends les mains :

– Je veux t'embrasser !

Elle est d'accord.

On s'embrasse, là, au milieu du pont.

C'est drôle, une peau de fille : doux comme une oreille de chat, chaud comme une fenêtre au soleil, et frais comme une bruine sur la Seine...

Et puis, je lui demande :

– On recommence. Mais sur la pointe des pieds.

Elle rit :

– Pourquoi, Benjamin ?

Je lui souris :

– Pour être plus grands, et s'embrasser plus fort, comme les grands !

Mais on ne passe pas sa vie à s'embrasser. Alors, Sonoko et moi, on devient un tigre souple et féroce, un lion farouche et furieux, et on s'en va chasser la gazelle et l'hippopotame dans les rues de Paris.

Dans la collection
« Mini Syros Romans »

Un amour de poule
Claudine Aubrun

Le Magot des dindons
Claudine Aubrun

Tonton Zéro
Roland Fuentès

Le Petit Napperon rouge
Hector Hugo

Un marronnier sous les étoiles
Thierry Lenain

La Valise oubliée
Janine Teisson

Le Voleur de bicyclette
Leny Werneck

Loi n° 49-956 du 16 juillet 1949
sur les publications destinées à la jeunesse,
modifiée par la loi n° 2011-525 du 17 mai 2011.

Mise en pages : DV Arts Graphiques à La Rochelle
N° d'éditeur : 10247837 – Dépôt légal : janvier 2013
Achevé d'imprimer en juillet 2018
par Clerc (18200, Saint-Amand-Montrond, France).

MIXTE
Papier issu de
sources responsables
FSC® C022030